Le Petit Poucet
(ou presque)

premières lectures

...pour les enfants qui apprennent à lire

Le texte à lire dans les bulles est conçu pour l'apprenti lecteur. Il respecte les apprentissages du programme de CP :

le niveau **JE DÉCHIFFRE** correspond aux acquis de septembre à novembre ;

le niveau **JE COMMENCE À LIRE** correspond aux acquis de novembre à mars ;

le niveau **JE LIS COMME UN GRAND** correspond aux acquis de mars à juin.

Cette histoire a été testée à deux voix par Francine Euli, enseignante, et des enfants de CP.

Cet ouvrage est un niveau JE LIS COMME UN GRAND.

IMPRIM'VERT
Votre imprimeur agit pour l'environnement

MIXTE
Papier issu de sources responsables
FSC
www.fsc.org
FSC® C022030

Loi n° 49-956 du 16 juillet 1949 sur les publications destinées à la jeunesse, modifiée par la loi n° 2011-525 du 17 mai 2011
ISBN : 978-2-09-256022-8
N° éditeur : 10215323 – Dépôt légal : avril 2016
Achevé d'imprimer en mars 2016 par Pollina (85400 Luçon, Vendée, France) - L76018

Le Petit Poucet (ou presque)

Texte de René Gouichoux

Illustré par Rémi Saillard

Nathan

À la colonie de vacances Tralala,
Jean Poucet est le plus petit.
Son surnom est vite trouvé.

Je suis
le Petit Poucet !

Poucet est très malin,
et tout le monde l'apprécie.

Mais ce matin, comme tous ses copains, Poucet n'est pas content. Le boulanger n'a pas livré le pain.

Pour le petit déjeuner, pas de tartines beurrées, ni de tartines au chocolat, ni de tartines à la confiture !

On a faim !
C'est nul !

Pour calmer tout le monde, le directeur de la colo annonce :

On va faire une chasse au trésor!

Du coup, pour un moment, les enfants oublient leur faim.

Poucet choisit son équipe :
avec lui, ils seront sept copains,
comme sept frères.

Vive Poucet !
On va gagner !

J'ai peur !

Le directeur indique que le trésor est caché dans le bois. Mais un des copains de Poucet n'est pas rassuré.

Poucet a une idée. Il ramasse des petits cailloux blancs dans un bac à fleurs et il les sème derrière lui.

Et hop
et hop !

Aïe, aïe, aïe ! Quand ils sont au milieu du bois, Poucet et ses amis ne trouvent plus leur route.

Nous sommes perdus !

Non !

Avec les cailloux, Poucet retrouve
le chemin de la colo. Ouf ! sauvés !

Une fois rentrés, Poucet et ses amis expliquent au directeur :

On s'est perdus.
Tatata ! Un peu de courage !

Et les voilà repartis en forêt !

Hélas, Poucet n'a pas le temps de prendre d'autres cailloux dans le bac à fleurs.

Par chance, sur un banc, il trouve un vieux croûton de pain sec. Et il sème les miettes le long du chemin.

Et hop
et hop !

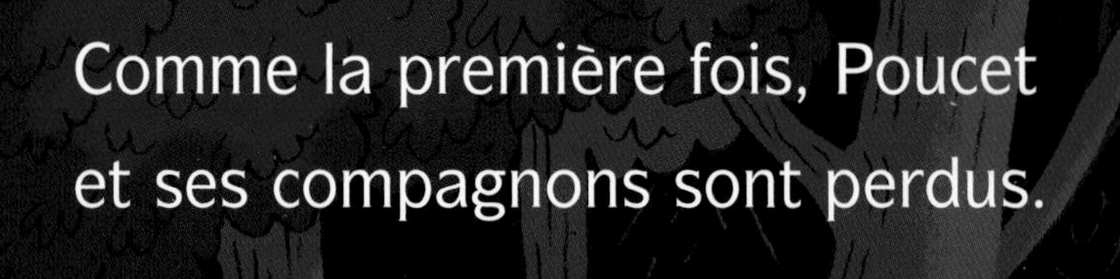

Comme la première fois, Poucet
et ses compagnons sont perdus.

Heureusement, j'ai semé des miettes!
Aïe, aïe, aïe, je les ai mangées...

Que faire ? Le malin Poucet a une idée. Il grimpe en haut d'un chêne pour voir au loin.

Là, une maison ! On y va !

Poucet et son équipe filent jusqu'à la maison.

Toc toc toc ! La porte s'ouvre. Et… et… et voilà qu'un géant apparaît. Il a des bras immenses, d'horribles cernes noirs sous les yeux. Derrière lui, on entend des cris de bébés !

Ohhhhhhhhhh
un ogre !

C'est sûr, l'ogre va les dévorer.
Mais Poucet, lui, est rassuré. Il a bien vu que l'homme tenait un biberon.

Nous avons perdu notre chemin !
Entrez !

Poucet entre le premier. Et là, il découvre un spectacle ahurissant. Dans la grande salle, sept bébés sont installés n'importe comment.

Oh là là !

Une fille veut son biberon, une autre crie parce que sa tête est coincée, une autre encore pleure parce qu'elle a fait caca !

Mes sept petites princesses n'arrêtent pas de pleurer.
Je suis dépassé !

Soudain, l'ogre fond en larmes.
En fait, il est boulanger.
Mais aujourd'hui, il n'a pas pu faire son pain. Sa femme est en voyage et il a du mal à s'occuper seul de leurs sept filles.

Je n'y arrive pas !

Comme toujours, Poucet
a une idée. Il dit
au boulanger :
Vous allez
faire le pain !
Et mes
filles ?
FARINE

On s'en occupe !

Et hop, Poucet et ses copains changent les couches des filles, donnent le biberon et leur chantent des comptines.

Mieux ! Poucet décide de faire voyager les bébés. Tout autour de la maison, les frères promènent les filles !
Regardez comme elles sont contentes !

De son côté, le boulanger s'active
et cuit son pain !

Enfin, le pain est doré à souhait.
Vite, à la colo !
D'accord, je chausse mes bottes.

Avec ses grandes bottes,
l'ogre boulanger va si vite que
les garçons doivent courir derrière lui.

Poucet et ses amis n'ont pas trouvé le trophée du grand jeu, mais ils rapportent un vrai trésor à la colo : du pain et des gâteaux !

Vive Poucet !
Hourra !

Tu es
un héros,
Poucet !

premières lectures

À la rentrée de septembre, les enfants de CP entrent doucement en lecture. Afin de les accompagner dans cette découverte et d'encourager leur plaisir de lire, Nathan Jeunesse propose la collection **Premières lectures**.

Cette collection est idéale pour une **lecture à deux voix,** prolongeant ainsi le rituel de l'histoire du soir. Chaque ouvrage est écrit avec des **bulles**, très simples, que l'enfant peut lire car les sons et les mots sont adaptés aux compétences acquises au cours de l'année de CP, et qui lui permettent de se glisser dans la peau du personnage. Par ailleurs, un « lecteur complice » peut prendre en charge les **textes**, plus complexes, et devenir ainsi le narrateur de l'histoire.
Les récits peuvent ensuite être relus dans leur intégralité par les élèves dès le début du CE1.

Les ouvrages de la collection sont **testés** par des enseignant(e)s et proposent trois niveaux de difficulté selon les textes des bulles : **Je déchiffre**, **Je commence à lire**, **Je lis comme un grand**.
L'enfant acquiert ainsi une autonomie progressive dans la pratique de la lecture et peut connaître la satisfaction d'avoir lu une histoire en entier...

Un moment privilégié à partager en classe ou en famille !

Les animaux de Lou
Tu es chou, Petit Chat !
Nathan

Tu es trop bavard, Léonard !
Nathan

Drôle d'école !
Nathan

Les copains du CP
Dis un mot, Tino !